D1271650

Trappeurs de Rien

2. Le vieux fou

SCÉNARIO : POG
DESSIN : THOMAS PRIOU
COULEUR : JOHANN CORGIÉ

les éditions de la Gouttière

Pour Marie.

THOMAS PRIOU

Pour Oscar, un trappeur qui sait aussi bien imiter le comportement de l'araignée que celui du bébé pingouin.

POG

Un énorme merci à Mathieu Thonon, l'homme qui aplate plus vite que son ombre !
Je n'y serais jamais arrivé sans toi.
Et aussi, merci à Iris, pour me soutenir tous les jours, même quand c'est pas facile.

JOHANN CORGIÉ

Dépôt légal : octobre 2016
ISBN : 979-10-92111-43-9

imprimé par l'imprimerie Lesaffre à Tournai (Belgique)

Éditions de la Gouttière
147b rue Dejean, 80000 Amiens
www.editionsdelagouttiere.com

ÇA N'A PAS L'AIR SI DIFFICILE...

C'EST VRAI,
PAR CONTRE, IL VAUT MIEUX NE PAS EMPIÉTER SUR LE TERRITOIRE DE CE MASTODONTE.
TRÈS DRÔLE ! TU SAIS BIEN QUE JE NE PEUX PAS...
CROOOQUETTE ?!

BOF... UN COUP DE FUSIL ET ON N'EN PARLE PLUS !
HÉ HÉ HÉ !
T'ES LÀÀÀÀÀ ?

TU PARLAIS À QUI?
EUH... À PERSONNE, JE RÉFLÉCHISSAIS TOUT HAUT...
BON...
J'AI EU UNE IDÉE LES GARS...

ON VA PÊCHER!

SUPER!

J'AI REPÉRÉ UN COIN SYMPA...

UN PEU PLUS LOIN...

VOUS ALLEZ VOIR, C'EST TRÈS SIMPLE...
TOUT D'ABORD, IL FAUT ATTENDRE, NE PAS FAIRE DE BRUIT ET NE PAS BOUGER...

ENSUITE, QUAND C'EST LE BON MOMENT ...

VOUS DONNEZ UN COUP DE PATTE POUR SORTIR LE POISSON, ET...

IMPECCAB'E!

SUPER! MAIS LE PROCHAIN TU NE LE BOULOTTES PAS, D'ACCORD?

RATÉ!
Hi Hi
Hi Hi

RATÉ!
Hi Hi
Hi Hi

RATÉ!
Hi Hi
Hi Hi

MAis, Qui? ...
Hi Hi
Hi Hi

CROQUETTE, GEORGIE ! REGARDEZ LÀ-BAS !!
HI HI HI HI

C'ÉTAIT QUOI ÇA ?

UN...
UN INDIEN ?
ON M'A PARLÉ DE LUI EN VILLE...
C'EST UN FAMEUX TRAPPEUR À CE QU'IL PARAÎT... MAIS IL EST AUSSI COMPLÈTEMENT MABOUL !

JE CROIS PLUTÔT QUE C'EST LE **VIEUX FOU**...

ON EST TROP À DÉCOUVERT ICI... RENTRONS !

REGARDEZ !
IL Y A DES EMPREINTES DE PAS...
ELLES MÈNENT DROIT VERS LE CHALET...

TAÏAUT !

DES... DES INDIENS?

NON, ILS AURAIENT PRIS QUELQUE CHOSE.
CRAK

TCHOK TCHOK TCHOK
ENTREZ ...

!?

HUM ...

CORNEGIDOUILLE ! ENCORE LUI !?
HI HI HI HI

IL EST PEUT-ÊTRE COMPLÈTEMENT TOQUÉ, MAIS ON VA SE RÉGALER !
NON! ON NE TOUCHE PAS À ÇA...
C'EST PEUT-ÊTRE EMPOISONNÉ !

BEURK!

BON, OK ...

SNIF SNIF
SI TU CHERCHES UN VOLONTAIRE POUR GOÛTER...

iL N'Y A QUE LES iMBÉCiLES QUi NE CHANGENT PAS D'AViS.

ENFiN AUTRE CHOSE QUE DES FAYOTS!

BLOF
BLOF
BLOF

ALLONS DIRE MERCI À CE VIEUX FOU.

C'EST VRAI, C'EST LA MOINDRE DES CHOSES DE SE PRÉSENTER EN TANT QUE VOISINS...

ET QUI SAIT ? IL AURA PEUT-ÊTRE UN DESSERT À NOUS PROPOSER ?

C'EST BIZARRE, LA PISTE S'ARRÊTE ICI...
CRAC

ZWOUIP

ATTENTION,
IL Y A DES...
CRAC

PIÈGES...

DES... DES INDIENS!

BONJOUR...!

Si VOUS NOUS DÉTACHIEZ? NOUS POURRIONS NOUS ENTRETENIR DE FAÇON PLUS CONFORTABLE?

S'IL VOUS PLAÎT?

COUIIIC.

RONGE
RONGE

BLAF!

AÏE
...

HiHiHiHi!

OH NON, PAS LUI !
HiHiHiHi !

POURQUOI GROS BEC LAISSE-T-IL SON SHAMAN PRENDRE LA VIE DE CE CANETON ?

CES TRAPPEURS SONT SUR LES TERRES DES CROWS !

ET BIEN, ILS TE DONNERONT LA MOITIÉ DE LEURS PRISES, TOUT COMME MOI !

MARCHÉ CONCLU !

LA MOITIÉ DE RIEN DU TOUT, CE N'EST PAS CHER PAYÉ, NON ?

VOUS NE DEVEZ PAS BEAUCOUP DÉRANGER LES ANIMAUX, JE N'AI JAMAIS VU DE TRAPPEURS AUSSI MALADROITS !
AÏE !

ET VOUS, VOUS N'ÊTES PAS SI FOU QUE VOUS VOULEZ LE FAIRE CROIRE...

HI HI HI, LES INDIENS LAISSENT LES FOUS TRANQUILLES ...
MAIS CROYEZ-MOI, IL FAUT L'ÊTRE POUR VIVRE ICI !

BON, ET SINON, ÇA VOUS DIT DE PASSER À LA MAISON PRENDRE UN PETIT DESSERT ?
08/2016
POG . CORGIÉ